평강 공주의 도움으로 장군이 되다

바보 온달

원작 김부식 글 구들 그림 노성빈 감수 금경숙

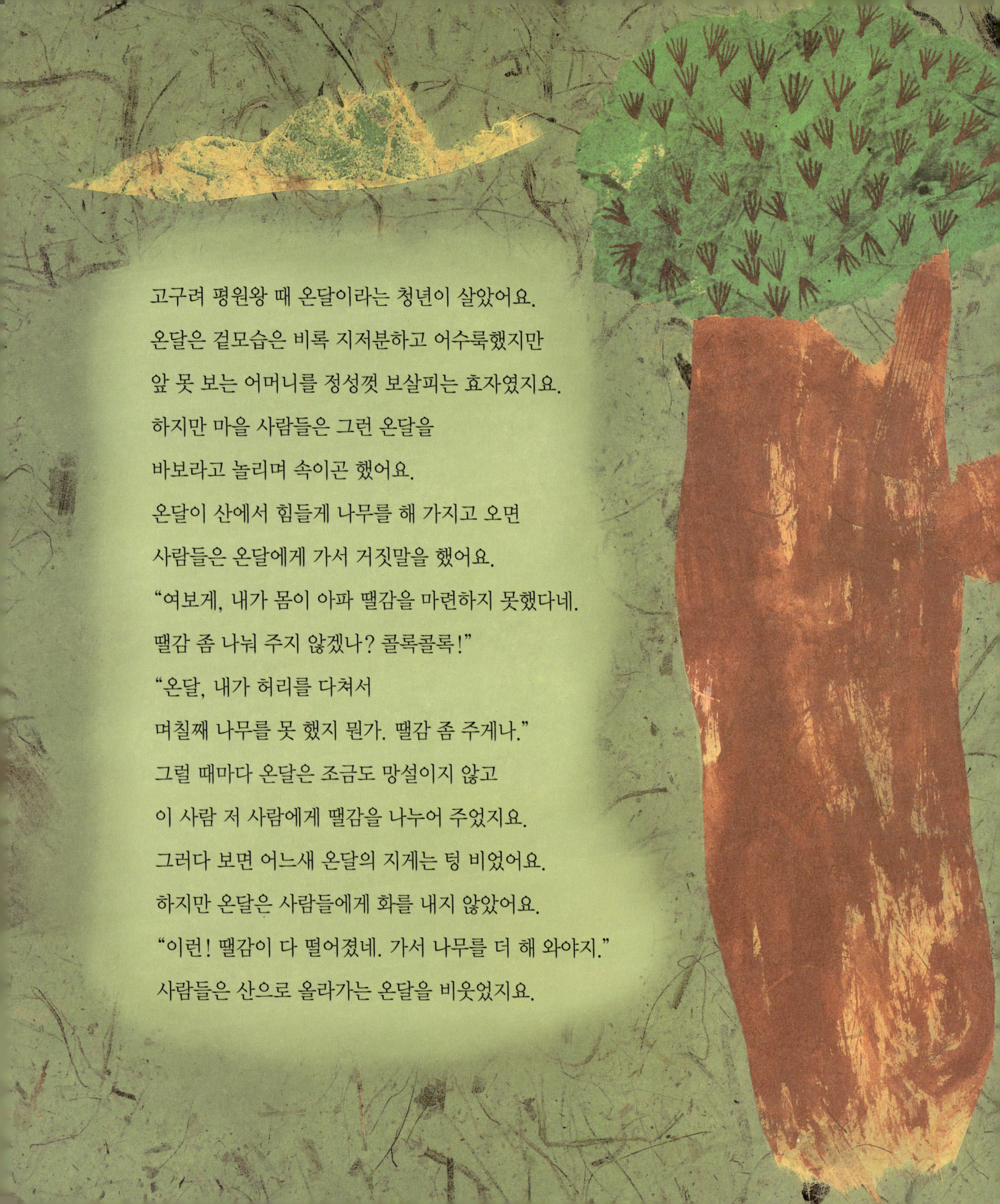

고구려 평원왕 때 온달이라는 청년이 살았어요.
온달은 겉모습은 비록 지저분하고 어수룩했지만
앞 못 보는 어머니를 정성껏 보살피는 효자였지요.
하지만 마을 사람들은 그런 온달을
바보라고 놀리며 속이곤 했어요.
온달이 산에서 힘들게 나무를 해 가지고 오면
사람들은 온달에게 가서 거짓말을 했어요.
"여보게, 내가 몸이 아파 땔감을 마련하지 못했다네.
땔감 좀 나눠 주지 않겠나? 콜록콜록!"
"온달, 내가 허리를 다쳐서
며칠째 나무를 못 했지 뭔가. 땔감 좀 주게나."
그럴 때마다 온달은 조금도 망설이지 않고
이 사람 저 사람에게 땔감을 나누어 주었지요.
그러다 보면 어느새 온달의 지게는 텅 비었어요.
하지만 온달은 사람들에게 화를 내지 않았어요.
"이런! 땔감이 다 떨어졌네. 가서 나무를 더 해 와야지."
사람들은 산으로 올라가는 온달을 비웃었지요.

온달에 대한 소문은 온 나라에 퍼져 평원왕의 귀에까지 들어갔어요.
"그래서 온달은 하루에도 몇 번씩 나무를 하러 간다고 합니다."
신하의 말에 평원왕이 껄껄대며 웃었어요.
"하하하, 세상에 그런 바보가 있다니!"
그때 대궐 어디선가 여자 아이 울음소리가 들려왔어요.
어린 평강 공주가 또 울음을 터뜨린 거지요.
평강 공주는 얼마나 자주 우는지 모두들 울보 공주라고 부를 정도였어요.
"평강아, 그렇게 울면 나중에 바보 온달에게 시집보내겠다!"
한 번은 평원왕이 공주를 달래려고 무심코 이렇게 말했지요.
그러자 신기하게도 평강 공주가 울음을 뚝 그쳤어요.
"공주가 울음을 그치다니,
바보 온달이 우는 공주를 달래는 데는 가장 좋은 약이로구나!"
그날 이후로 평원왕은 평강 공주가 울 때마다
온달에게 시집보내겠다고 겁을 주었어요.
그때마다 평강 공주는 어김없이 울음을 그쳤지요.

어느덧 시간이 흘러 평강 공주는 어엿한 여인으로 자랐어요.
평원왕은 평강 공주를 불러 말했어요.
"너도 이제 시집갈 나이가 되었구나. 내가 고구려에서
제일가는 집안의 아들을 사윗감으로 정해 놓았단다."
"아바마마, 그게 무슨 말씀이시옵니까?
아바마마께서는 저를 온달님께 시집보낸다고 하셨잖아요?"
"그건 우는 너를 달래려고 장난삼아 한 말이었다.
어찌 우스갯소리와 참말도 구분하지 못한단 말이냐?"
"한 나라를 다스리는 왕은 헛된 말을 해서는 안 된다고 생각합니다.
저는 온달님과 혼인하겠습니다."
평강 공주가 계속 고집을 부리자 평원왕은 화가 났어요.
"아비 말을 듣지 않는 딸은 필요 없다.
가서 바보 온달과 혼인을 하든 말든 네 맘대로 하거라!"
평원왕은 평강 공주를 대궐에서 쫓아냈어요.

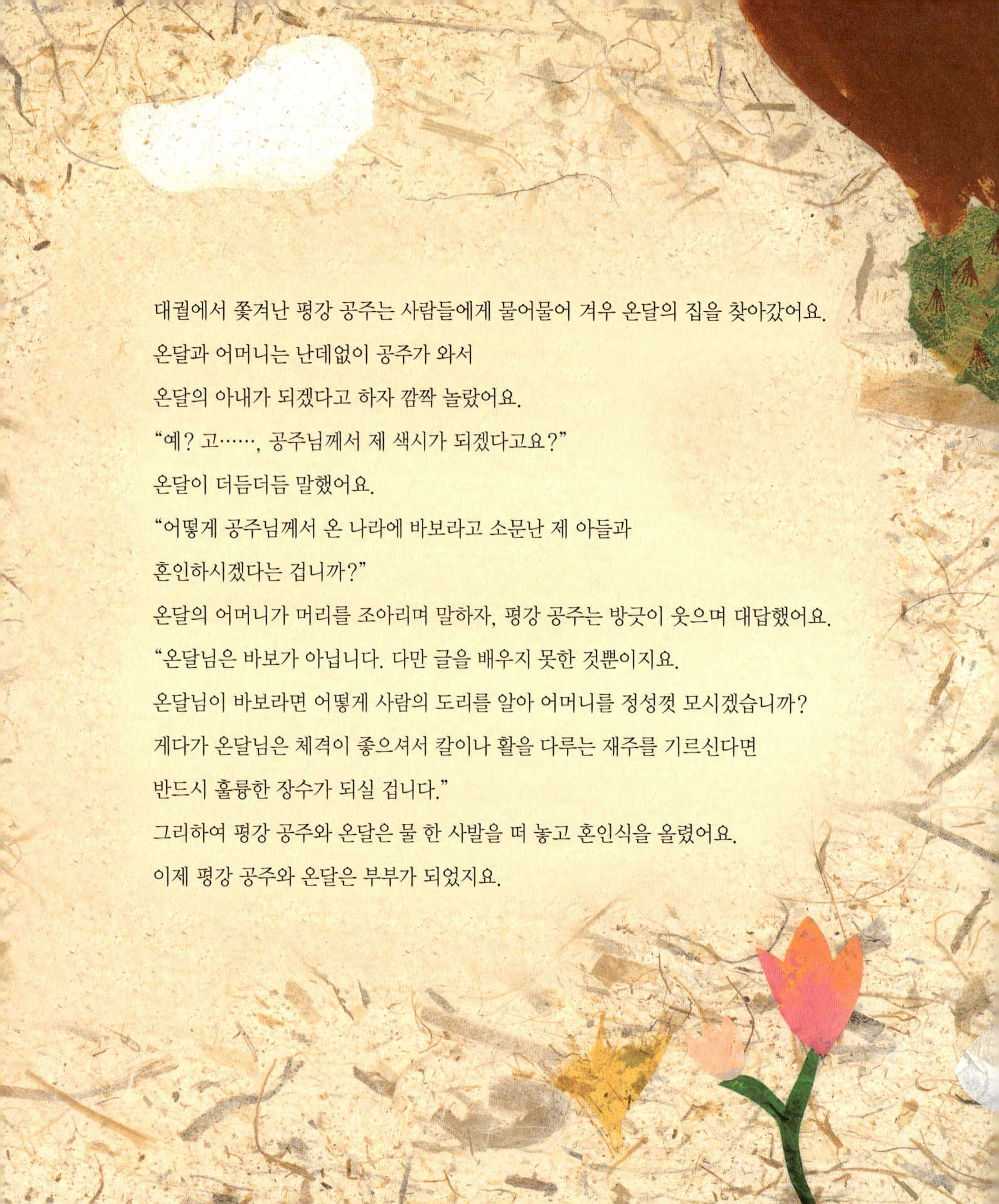

대궐에서 쫓겨난 평강 공주는 사람들에게 물어물어 겨우 온달의 집을 찾아갔어요.
온달과 어머니는 난데없이 공주가 와서
온달의 아내가 되겠다고 하자 깜짝 놀랐어요.
"예? 고……, 공주님께서 제 색시가 되겠다고요?"
온달이 더듬더듬 말했어요.
"어떻게 공주님께서 온 나라에 바보라고 소문난 제 아들과
혼인하시겠다는 겁니까?"
온달의 어머니가 머리를 조아리며 말하자, 평강 공주는 방긋이 웃으며 대답했어요.
"온달님은 바보가 아닙니다. 다만 글을 배우지 못한 것뿐이지요.
온달님이 바보라면 어떻게 사람의 도리를 알아 어머니를 정성껏 모시겠습니까?
게다가 온달님은 체격이 좋으셔서 칼이나 활을 다루는 재주를 기르신다면
반드시 훌륭한 장수가 되실 겁니다."
그리하여 평강 공주와 온달은 물 한 사발을 떠 놓고 혼인식을 올렸어요.
이제 평강 공주와 온달은 부부가 되었지요.

어느 날, 평강 공주가 온달에게 말했어요.
"이제 서방님도 글을 익히셔야 합니다."
"사실은 나도 진작에 글을 배우고 싶었습니다.
지금부터 열심히 글공부를 하겠습니다."
그날부터 온달은 낮에는 부지런히 농사를 짓고,
밤에는 평강 공주에게 글을 배웠지요.
평강 공주는 보통 때에는 상냥하고 다정했지만
글을 가르칠 때만은 무서운 선생님이었어요.
온달은 하나를 가르치면 열을 깨우칠 정도로 명석해서 나날이 실력이 늘어갔어요.
이 소문을 들은 동네 사람들은 모두들 놀랐지요.
"아니, 바보가 장가를 간 것도 놀랄 일인데 요즘은 글공부까지 한다네!"
"하나를 배우면 열을 깨우친다고 하니 놀라운 일이야."

하루는 평강 공주가 비단에 싸인 물건을 온달 앞에 꺼내 놓았어요.

그것은 큰 활과 아름다운 칼이었지요.

군사를 지휘하고 전투를 하는 방법이 적힌 책도 들어 있었어요.

"서방님, 이것은 고구려에서 제일가는 활과 칼이옵니다.

오늘부터 이것을 가지고 무예를 익히도록 하십시오."

그날부터 온달은 책을 보며 활 쏘는 법과 칼 쓰는 법을 익혔어요.

고구려에서는 해마다 3월 3일이 되면

젊은이들이 모여 사냥 실력을 겨루는 대회가 열렸어요.

이 대회에서 좋은 성적을 거둔 사람에게는 왕이 직접 큰 상을 내렸지요.

온달도 그동안 갈고 닦은 실력을 확인하기 위해

이번 대회에 나가기로 결심했어요.

"서방님, 반드시 우승하셔서 재주도 뽐내시고 아바마마께 사위로서 인정도 받으세요."

평강 공주가 이렇게 말하자 온달이 진지한 표정으로 고개를 끄덕였어요.

대회가 열리는 언덕에는 젊은이들이 가득 모여 있었어요.
사냥 대회를 알리는 나팔 소리가 울리자
말을 탄 젊은이들이 짐승을 쫓아
들판으로 힘차게 내달렸어요.
젊은이들 중에 은빛 갑옷을 입고
부리부리한 눈을 빛내는 사람이 있었어요.
그 사람이 바로 온달이었지요.
평원왕은 사냥 대회에 참가한 사람들을 지켜보며
고구려의 장수가 될 만한 사람을 찾고 있었어요.
그때 유독 눈에 띄는 사람이 있었어요.
은빛 갑옷을 입은 그 젊은이는 몸집이 단단하고 용감해 보였지요.
게다가 사냥 솜씨도 남달리 뛰어났어요.
사냥 대회가 끝나자 참가한 젊은이들은 각자 자기가 잡은 사냥감을 왕 앞에 내어놓았어요.
역시나 은빛 갑옷을 입은 젊은이의 사냥감이 가장 많았지요.

평원왕은 젊은이에게 상을 내리며 물었어요.
"어찌하여 그대는 큰 짐승만 잡았는가?"
"약하고 작은 짐승을 잡는 것은 비겁한 일이기 때문입니다."
"그럼 왜 굳이 수컷만 잡았는가?"
젊은이가 따뜻한 웃음을 띠며 말했어요.
"지금은 모든 생명이 살아나는 봄입니다.
아마 암컷들은 몸 안에 새끼를 가졌을 것입니다.
암컷을 사냥하는 것은 다른 생명이 태어날 기회까지 뺏는 것이라 생각하여
수컷만 잡은 것이옵니다."
평원왕은 젊은이의 마음 씀씀이에 감탄했어요.
"참으로 훌륭한 젊은이로다. 그대의 이름이 무엇이오?"
"예. 제 이름은 온달이라 하옵니다."
젊은이의 이름을 들은 평원왕은 깜짝 놀랐어요.
"그대가 바보라고 소문난 온달이란 말이오?"
"그러하옵니다. 평강 공주가 바로 제 아내입니다."
평원왕은 그제서야 딸의 깊은 마음을 알 수 있었어요.
'평강이 사람 보는 눈이 있었구나.
평범한 사람을 이렇게 훌륭한 장수로 키워 내다니.'
평원왕은 온달과 평강 공주를 대궐 안으로 불러들여
정식으로 성대하게 두 사람의 혼례식을 올려 주었어요.

온달은 고구려 장군이 되었어요.
그즈음 중국 후주*가 고구려 요동* 지방을 공격했어요.
온달은 고구려군을 이끌고 요동으로 달려갔어요.
하지만 막강한 후주의 군대 앞에서 군사의 수도 적고 무기도 보잘것없었던
고구려군의 사기는 금방 꺾이고 말았지요.

온달은 용감하게 적군의 가운데로 들어가
창을 휘두르며 후주 군사들을 쓰러뜨렸어요.
온달이 앞장서 싸우자 고구려군의 사기가 되살아나기 시작했어요.
"저렇게 용감한 온달 장군님이 계시는데 우리는 무서울 것이 없다!"
"이렇게 물러서서는 안 된다!"
고구려군은 우렁차게 함성을 지르며 적군을 향해 달려갔어요.
온달과 함께 용감하게 싸운 고구려군은 후주의 군사를 모조리 무찔렀지요.
"와아! 고구려 만세! 온달 장군님 만세!"
고구려 군사들의 함성 소리가 요동 벌판에 울려 퍼졌어요.

*후주 : 중국 5대 10국 시기의 마지막 왕조
*요동 : 중국 랴오둥 반도 부근으로 옛 고구려, 발해의 영토

후주의 군대를 물리치자 온달에 대한 명성은 고구려 곳곳에 퍼졌어요.
하지만 온달은 언제나 겸손했어요.
온달은 가난한 군사에게는 녹봉*으로 주는 곡식이나 옷감을 더 주고,
전쟁터에서 부상을 입은 부하는 직접 보살펴 주기도 했지요.
온달은 항상 고구려를 위해 어떤 일을 해야 할지 생각했어요.
그러다 신라에게 빼앗긴 한강 유역을 생각하게 되었지요.

한강은 고구려, 신라, 백제 세 나라 사이에서 이동을 하거나
물건을 사고팔 때 중요한 강이었어요.
한강에서 배를 타면 서해로 나가 중국으로 갈 수 있었고
또한 외국 상인과 장사를 해서 많은 돈을 벌 수도 있었지요.
전쟁이 나면 이 물길을 요긴하게 쓸 수도 있었어요.
'한강 유역만 되찾으면 고구려가 지금보다
훨씬 더 강해질 수 있을 텐데…….'
온달은 반드시 한강 유역을 되찾아야 한다고 생각했어요.

*녹봉 : 나라에서 벼슬아치에게 주는 봉급

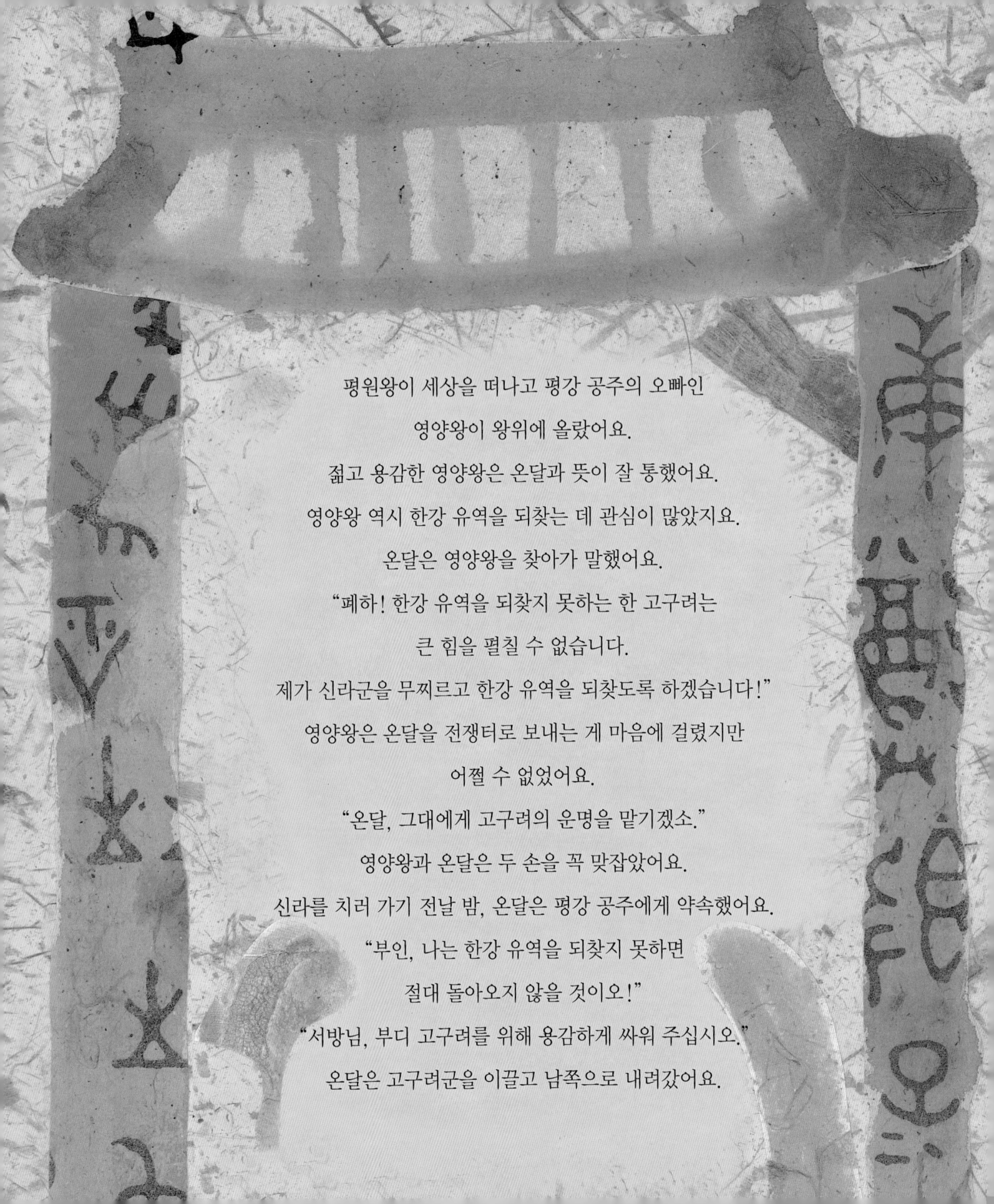

평원왕이 세상을 떠나고 평강 공주의 오빠인
영양왕이 왕위에 올랐어요.
젊고 용감한 영양왕은 온달과 뜻이 잘 통했어요.
영양왕 역시 한강 유역을 되찾는 데 관심이 많았지요.
온달은 영양왕을 찾아가 말했어요.
"폐하! 한강 유역을 되찾지 못하는 한 고구려는
큰 힘을 펼칠 수 없습니다.
제가 신라군을 무찌르고 한강 유역을 되찾도록 하겠습니다!"
영양왕은 온달을 전쟁터로 보내는 게 마음에 걸렸지만
어쩔 수 없었어요.
"온달, 그대에게 고구려의 운명을 맡기겠소."
영양왕과 온달은 두 손을 꼭 맞잡았어요.
신라를 치러 가기 전날 밤, 온달은 평강 공주에게 약속했어요.
"부인, 나는 한강 유역을 되찾지 못하면
절대 돌아오지 않을 것이오!"
"서방님, 부디 고구려를 위해 용감하게 싸워 주십시오."
온달은 고구려군을 이끌고 남쪽으로 내려갔어요.

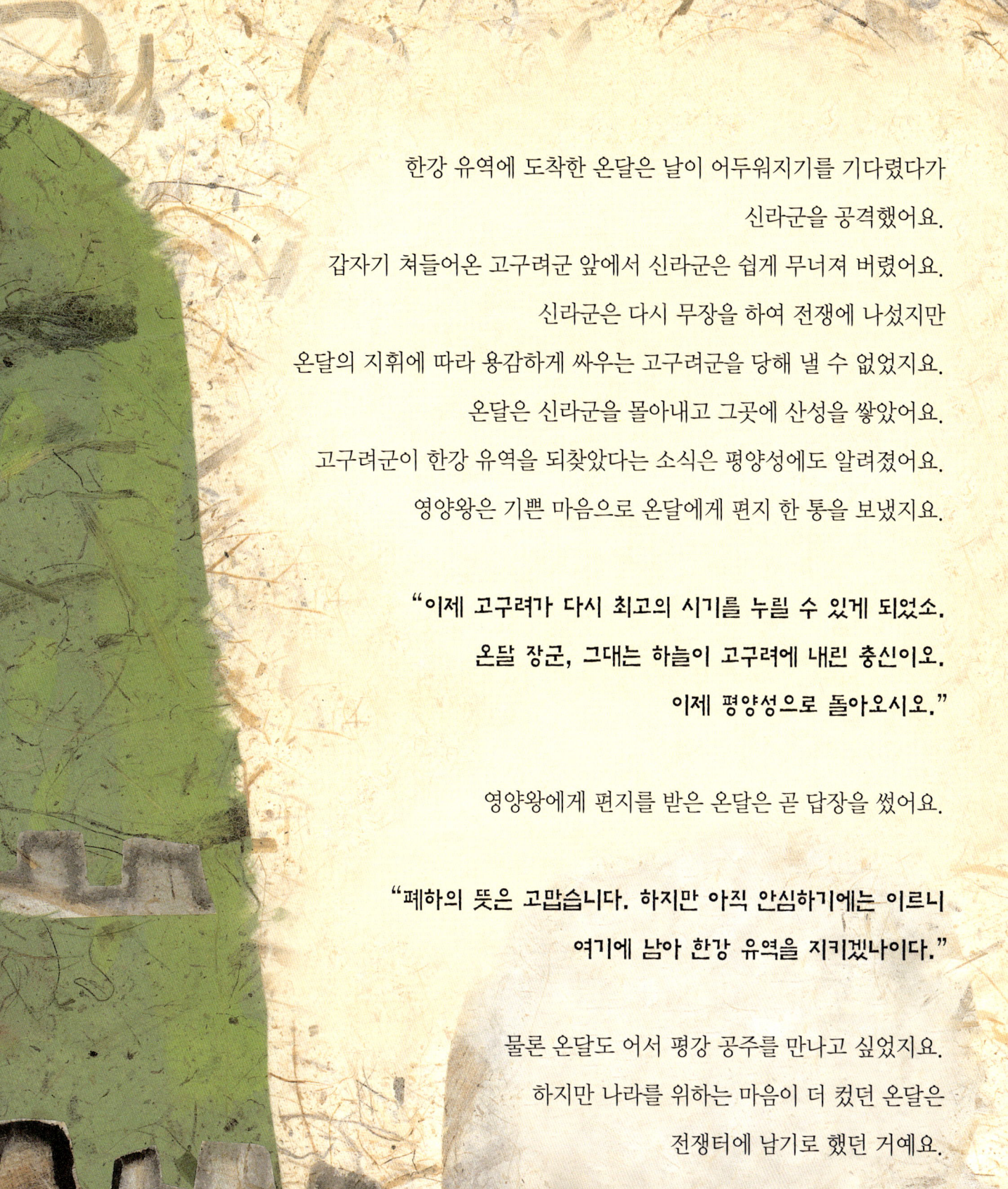

한강 유역에 도착한 온달은 날이 어두워지기를 기다렸다가
신라군을 공격했어요.
갑자기 쳐들어온 고구려군 앞에서 신라군은 쉽게 무너져 버렸어요.
신라군은 다시 무장을 하여 전쟁에 나섰지만
온달의 지휘에 따라 용감하게 싸우는 고구려군을 당해 낼 수 없었지요.
온달은 신라군을 몰아내고 그곳에 산성을 쌓았어요.
고구려군이 한강 유역을 되찾았다는 소식은 평양성에도 알려졌어요.
영양왕은 기쁜 마음으로 온달에게 편지 한 통을 보냈지요.

"이제 고구려가 다시 최고의 시기를 누릴 수 있게 되었소.
온달 장군, 그대는 하늘이 고구려에 내린 충신이오.
이제 평양성으로 돌아오시오."

영양왕에게 편지를 받은 온달은 곧 답장을 썼어요.

"폐하의 뜻은 고맙습니다. 하지만 아직 안심하기에는 이르니
여기에 남아 한강 유역을 지키겠나이다."

물론 온달도 어서 평강 공주를 만나고 싶었지요.
하지만 나라를 위하는 마음이 더 컸던 온달은
전쟁터에 남기로 했던 거예요.

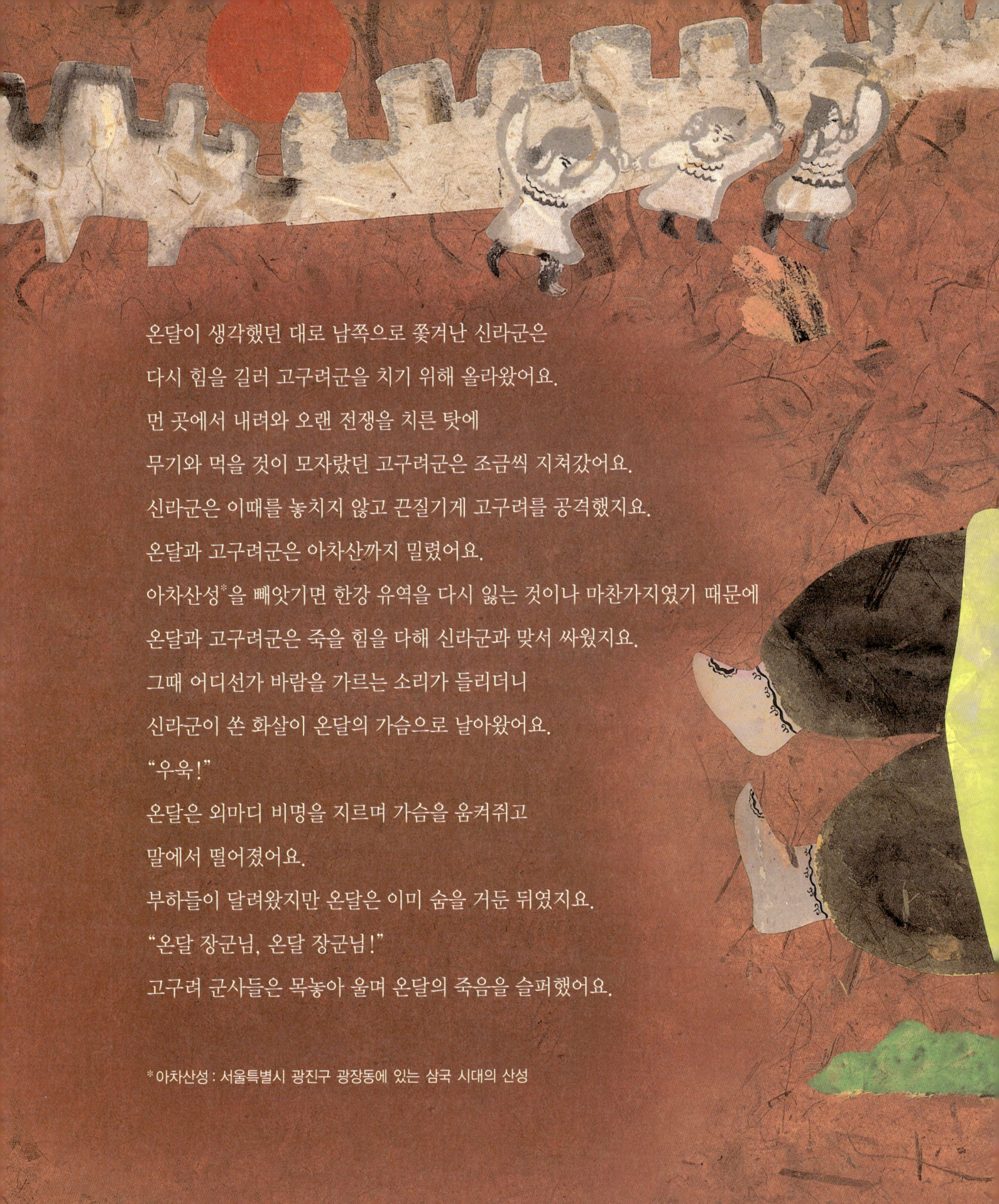

온달이 생각했던 대로 남쪽으로 쫓겨난 신라군은
다시 힘을 길러 고구려군을 치기 위해 올라왔어요.
먼 곳에서 내려와 오랜 전쟁을 치른 탓에
무기와 먹을 것이 모자랐던 고구려군은 조금씩 지쳐갔어요.
신라군은 이때를 놓치지 않고 끈질기게 고구려를 공격했지요.
온달과 고구려군은 아차산까지 밀렸어요.
아차산성*을 빼앗기면 한강 유역을 다시 잃는 것이나 마찬가지였기 때문에
온달과 고구려군은 죽을 힘을 다해 신라군과 맞서 싸웠지요.
그때 어디선가 바람을 가르는 소리가 들리더니
신라군이 쏜 화살이 온달의 가슴으로 날아왔어요.
"우욱!"
온달은 외마디 비명을 지르며 가슴을 움켜쥐고
말에서 떨어졌어요.
부하들이 달려왔지만 온달은 이미 숨을 거둔 뒤였지요.
"온달 장군님, 온달 장군님!"
고구려 군사들은 목놓아 울며 온달의 죽음을 슬퍼했어요.

*아차산성 : 서울특별시 광진구 광장동에 있는 삼국 시대의 산성

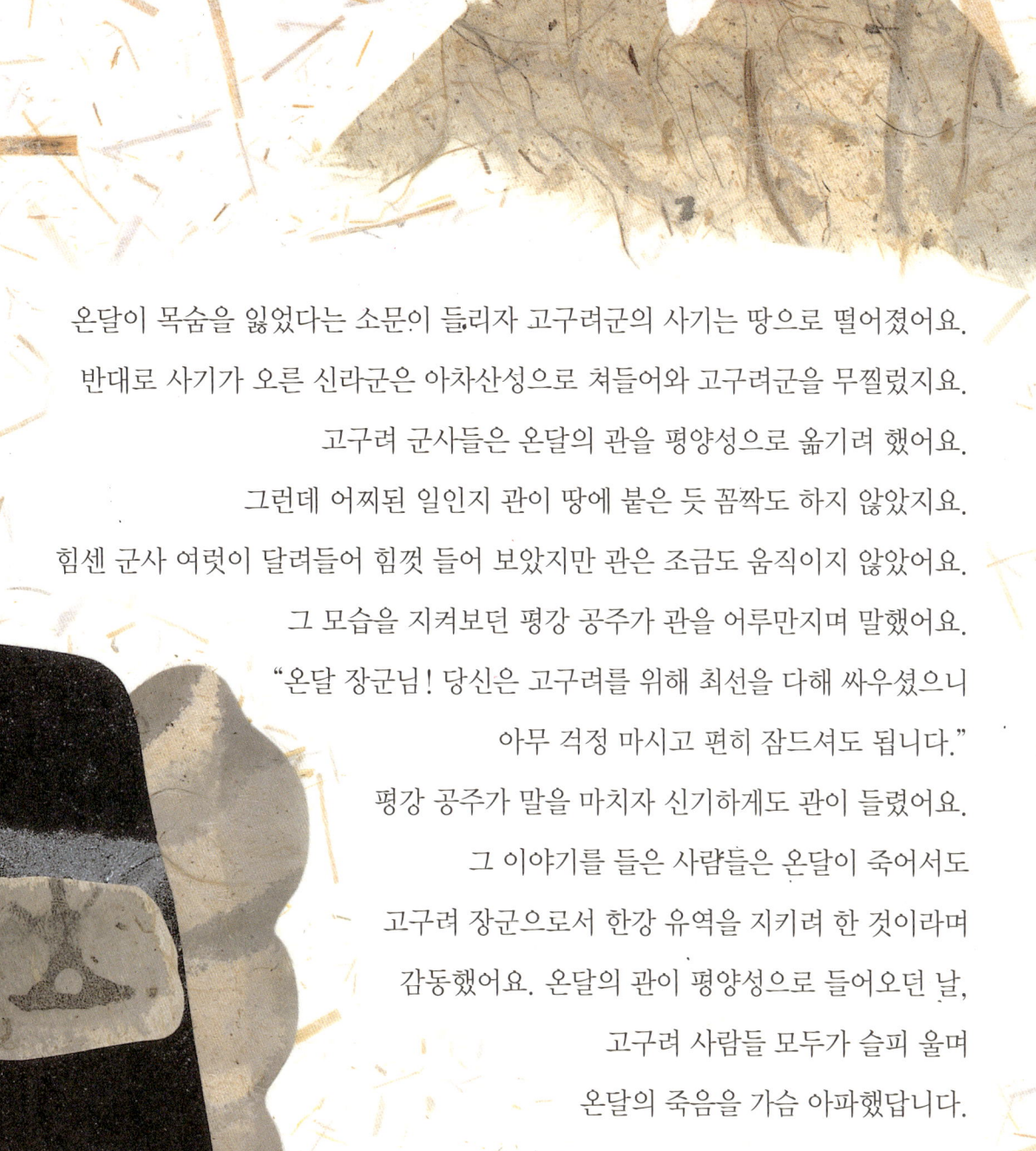

온달이 목숨을 잃었다는 소문이 들리자 고구려군의 사기는 땅으로 떨어졌어요.
반대로 사기가 오른 신라군은 아차산성으로 쳐들어와 고구려군을 무찔렀지요.
고구려 군사들은 온달의 관을 평양성으로 옮기려 했어요.
그런데 어찌된 일인지 관이 땅에 붙은 듯 꼼짝도 하지 않았지요.
힘센 군사 여럿이 달려들어 힘껏 들어 보았지만 관은 조금도 움직이지 않았어요.
그 모습을 지켜보던 평강 공주가 관을 어루만지며 말했어요.
"온달 장군님! 당신은 고구려를 위해 최선을 다해 싸우셨으니
아무 걱정 마시고 편히 잠드셔도 됩니다."
평강 공주가 말을 마치자 신기하게도 관이 들렸어요.
그 이야기를 들은 사람들은 온달이 죽어서도
고구려 장군으로서 한강 유역을 지키려 한 것이라며
감동했어요. 온달의 관이 평양성으로 들어오던 날,
고구려 사람들 모두가 슬피 울며
온달의 죽음을 가슴 아파했답니다.

영웅을 탄생시킨 위대한 사랑

바보 온달

온달이 언제 태어났는지, 어떤 신분이었는지에 관한 역사적인 기록은 전혀 남아 있지 않습니다. 그래서 어떤 학자들은 온달이 평민이 아니라 가난한 하급 귀족이었을지도 모른다고 생각하기도 한답니다. 고구려 귀족들은 가난하고 세력이 약한 하급 귀족 출신이 왕의 사위가 된 것을 인정할 수 없었기 때문에 온달을 바보로 기록했다고 생각하는 것이지요.

온달이 가난한 바보였든, 하급 귀족이었든 간에 분명한 사실은 그가 고구려 평원왕 때부터 그 뒤를 이은 영양왕 때까지 활동한 훌륭한 장군이었다는 점입니다. 온달은 특히 말타기와 활쏘기에 뛰어난 솜씨를 가졌다고 합니다.

《삼국사기》에는 후주와 전쟁을 치르면서 큰 공을 세운 온달이 평원왕에게 사위로서 인정을 받고 '대형'이라는 벼슬을 얻게 되었다고 나옵니다.

영양왕 때에는 한강 유역을 두고 신라와 전쟁을 하여 큰 승리를 거두었습니다. 고구려군은 이때 신라의 우명산성을 함락하고 신라군 8천여 명을 포로로 잡아갔다고 합니다. 학자들은 온달이 오늘날 충청북도 단양에 있는 온달산성을 쌓았던 때를 바로 이 시기라고 보고 있습니다. 이렇게 고구려를 위해 용감히 싸우던 온달은 그만 신라군이 쏜 화살을 맞고 전사하고 말았습니다. 가난하고 배우지 못해 바보라고 놀림받던 온달은 평강 공주의 사랑과 도움을 받으며 열심히 노력해 고구려의 영웅으로 남게 되었답니다.

「온달은 역경을 딛고 평강 공주의 사랑과 도움으로 고구려 최고 장군이 되었어요」

기원전 37년	3년	194년	313년	372년	391~413년	427년
고구려 건국	국내성으로 도읍 옮김	진대법 실시	낙랑군 정복	불교 유입	광개토대왕의 대륙 정복 사업	평양성으로 도읍 옮김

온달과 관련 있는 인물들

평원왕 : 고구려 제25대 왕

양원왕의 큰아들로 왕위에 있었던 기간은 559~590년입니다. 약해진 왕권을 회복하기 위해 노력했습니다. 《삼국사기》에는 평원왕이 겁이 없고 용감하며, 말타기와 활쏘기를 잘 하는 왕이라고 기록되어 있습니다.

평강 공주 : 온달의 아내

고구려 평원왕의 딸입니다. 열여섯 살 때 평원왕이 귀족 가문의 아들에게 시집보내려 하자 이를 거역하여 쫓겨나 온달과 혼인하였습니다. 온달에게 학문과 무예를 가르쳐 훌륭한 장군이 되게 한 지혜로운 여인입니다.

알고 싶은 요모조모

봄과 가을에 행해진 고구려의 대행사

고구려에는 봄, 가을로 제사를 올리는 행사가 있었습니다. 봄에는 3월 3일에 군신과 5부의 병사들이 낙랑 언덕에 모여 사냥을 하고 하늘신과 산천의 신에게 제사를 지냈습니다. 3월 3일에 열린 사냥 대회는 활달하고 용감한 고구려인들의 기상을 높이는 제사이자 사냥 축제였지요. 또, 매년 10월에는 '동맹'이라는 큰 행사가 있었습니다. 동맹은 지금의 추석과 비슷한 것으로 조상신에게 감사하는 의식이었습니다.

| 559년 평원왕 제25대 왕 즉위 | 586년 장안성으로 도읍 옮김 | 590년 영양왕 제26대 왕 즉위 | 608년 신라 공격하여 우명산성 차지 | 612년 살수대첩 | 660년 나당연합군 평양성 공격 | 668년 고구려 멸망 |

궁금증을 풀어 주는 # 미로여행

Q1 평강 공주가 온달에게 먼저 결혼하자고 했는데, 고구려 시대에는 여자가 먼저 **청혼**할 수 있었나요?

Q2 온달은 나중에 장군이 되었는데, **고구려의 장군**을 무엇이라고 불렀나요?

Q3 고구려에서는 **장례식**을 어떻게 치렀나요?

Q4 **온달의 관**이 움직이지 않았다는 것이 사실일까요?

기록을 보면 평원왕은 온달을 사위로 인정하고 '**대형**'이라는 관직을 주었다고 해요. 대형은 고구려의 14관등제 중에서 제7관등에 해당하는 관직으로, 대형 이상인 사람만이 고구려의 장군이 될 수 있었어요. 장군은 '**말객**'이라 불렀고, 제일 높은 장군은 '**대모달**'이라고 불렀지요.

관이 땅에서 떨어지지 않는 일은 일어날 수 없어요. 이 이야기는 사람들이 온달의 **애국심**을 기리는 마음에서 지어낸 것이라고 볼 수 있지요. 또한 온달의 죽음을 안타깝게 여긴 고구려 사람들의 슬픔도 담겨 있는 이야기예요.

고구려에서는 사람이 죽으면 관을 3년간 집에 보관했다가 좋은 날을 받아 땅에 묻었어요. 무덤은 돌로 만들었고, 무덤 앞에는 소나무와 잣나무를 많이 심었지요. 온달이 죽은 뒤 평강 공주가 관을 옮겨 가려고 한 것도 이런 풍습에 따라 **온달의 장례식**을 치르기 위해서였어요.

고구려 시대에는 신랑될 남자와 신부될 여자의 부모나 친척들이 서로 약속을 맺어 결혼하는 **중매 결혼**이 많았다고 해요. 그러므로 평강 공주처럼 여자가 남자에게 먼저 청혼하는 행동은 무척 특별했다고 볼 수 있지요.